JN069519

日本民主国家という廃墟

堀江秀治

文芸社

日本民主国家という廃墟

民主主義についてチャーチルは、「最低だが、これしかない」と概評した。これは事実上「最低だ」と言っているにも等しい。なぜなら西洋文明はキリスト教に基づくものであり（『聖書』を根拠とし）、そこには進化の概念の入る余地がないからである。

進化の概念がないとは、西洋キリスト教文明は神と人との関係から始まり、それ以前の生命進化（自然）の思想がないのである。

生命は今から何十億年とも断定できぬ以前に地球上に出現し、それが環境（自然）における生存競争のなかで、生命体を維持するために変異を繰り返すことによって進化してきた。つまり生命は環境（自然）のなかで、自らの生存のためにそこから情報を得、それを本能（あるいはそれに類するもの）に下降・蓄積し、その情報を基に生を上昇させることで、環境に適応できるよう変異し、生き延びてきた。

しかしここではまだ、言語（価値）を持つヒトにまで進化していないから、その世界は「無」（肉体＝自然）である。つまりこの無の生命（サル）から、ヒトが言語を獲得することによって、それまでの生の下降・上昇という無を、言語情報の下降と言語情報の上昇との交錯するところに「意識（言語）の流れ」という「有」を生み出した。この関係は「無」という肉体（自然）上に「有」という意識（言語、価値）からなる虚構（嘘）の世界を生み出した、――無の上に有を上乗せさせた――ということである。

これは後述するが、西洋キリスト教文明は『聖書』から始まるが故に、それ以前の進化という無（肉体＝自然）の概念がない、――それはデカルトの哲学に身体のないことが証明している――有からなる虚構（嘘）の文明だということである。

つまり西洋文明（思想）は、この生命（肉体＝自然）のもつ無の部分が欠けているのである。従って西洋人は肉体（自然）のもつ無の意味を解さない。すなわちそこに、無（自然）をもたぬ彼らの有（意識）に基づく理性的、合理的に思考する根拠がある。

本能とは四つの要因から成っている。食餌、生殖、闘争、群れのそれである。それをヒトは言語（価値）化によって、それらを本能的価値とした。

価値とは本来、無を含めた有である。人類の文明はこの有の上に築かれたものであり、その進化は無の上に乗った有だから、その基底部には無が歴史的古層としてあるはずである。

ヨーロッパ人も無自覚にこの無をもっているが、彼ら（たとえばデカルト）はそれを意識（歴史的古層）から抜き取り、肉体（無）のない意識（有）だけの世界を生きることになった。しかし彼らがその無を基底部に持っていることは（無の上を生きていることは）、フロイトの無意識によって証明されている。

ところでこの歴史的古層とは、西田幾多郎の言葉を借りて言えば「人間は何処までも無限に深い歴史的バラストを脱することは出来ない」と言ってよいかもしれない。分かりやすい言い方をすれば、人間の脳内にはいまだに爬虫類のそれが残存している、ということである。

しかしヨーロッパ人には、デカルトの哲学が有に至ったように、この無への歴史的古層に対する理解がなく、彼らはその文明をキリスト教（古代ギリシャではイデア）の下に置くことになった。

それを日本と比較すれば、地政学・気候風土的問題と係わってくる。日本が森林と水とからなる島国であるのに対し、古代ヨーロッパ文明の発祥の地（ギリシャ、パレスチナ、シリア、トルコ等）は乾燥化、砂漠化した土地であり、しかも大陸であったことが大きく関係している。

その後者（古代ヨーロッパ）を考えれば、まず食糧が死活問題となり、さらにそれはその略奪のための国家・宗教の問題となり、そのために集団化を促し、それをもって本能的価値（特に闘争本能的価値）に基づいて、他領を侵略する思想を古層に根づかせることになった（この古層の歴史化したものが歴史的古層である）。

歴史的古層とは、生命（サル）が環境からの情報を本能に下降・蓄積し、その情報を基に進化したものを、ヒトはそれを言語（価値）化し、それを本能（あるいはそれに類するもの）に下降・蓄積することによって古層化し、それに基づいて「考える」ことで思想進化してきた。その事実は、ヒトは思想進化した歴史的古層を生きるが故に、そこからしか思考することができず、いくら外国の思想を暗記しても、それは自己の歴史的古層の支配を大きく受けることになる（ある意味、無駄だということである）。

古代ヨーロッパ人は、地政学的にも、気候風土的にも、侵略・戦争によって富（領土、食糧、奴隷等）を得て生き延びるしかなかった。これは善悪の問題ではなく、生命進化が歴史的古層に帯びてしまった宿命である。つまり彼らは国家の一員（これが市民であり）として戦わねばならず、そこにおいて死と直面しなければならなかったから、キリスト教（イデア）が彼らの歴史的古層となったのである。それによって後にルソーが『社会契約論』で「そして統治者が市民に向って『お前の死ぬことが国家に役立つのだ』というとき、市民は死なねばならぬ」と言うことになるのである。つまり西洋人にとって愛国心をもつことは、国家を守る市民としての義務なのである。

　このことは、彼らの戦争の仕方、国家の有り方、思想というものの意味を決定づけた。つまり戦争は領土の拡大による富を意味し、国家の有り方はその戦争に勝てるような国家体制および個人のもつべき市民の思想へとして発展していった。その国家体制の思想が政治学であり、個人のもつべき市民思想が哲学および宗教である。

　その後者（哲学、宗教）について述べれば、それはデカルトの「我考える、故に我あり」を「神の存在証明」によって確立した、ということである。さらに彼の哲学原理は、後の民主主義、また資本主義という富（欲望）へと繋がってゆき、西洋近代思想の礎となった。

それと比較し島国日本は、それ自体が孤立した国家とも言えぬものであって、国家間の戦争はまったくと言っていいくらいなかった。そのことは日本人に国家意識を希薄にさせた。つまり国家とは戦争があるから国民がその下に一つに纏まり、市民意識――ルソーの言葉を思い出せばよい――が生み出されたのである。が、日本は島国であり、自然豊かであったから、領土侵略による富（食糧、奴隷等）の獲得という歴史的古層は発達しなかった。

この国家の概念を企業にたとえれば、西洋は企業間の戦いであったのに対し、日本島国は一企業しか存在しなかったことになる。

ここから西洋市民と武士との戦争の仕方がまったく異なることになる。つまり西洋においては領土の拡大による富が戦争目的となったが、島国日本においては基本的に領土の拡大によっては富はもたらせられなかった。なぜなら、日本は西洋のような戦争社会ではなかったから、市民というものが存在せず、戦（いくさ）をする武士とその支配下にあった、福沢諭吉の言う「逃げ走る」「客分」という「村」人とに二分化されていたからである。別言すれば、日本は孤立国家（企業）であるから、天皇という名誉会長の下に、社長の座を争って武士が戦をする派閥国家だった、ということである。つまり戦は派閥の領袖（たとえば戦国武将）の首（死）を取れば、「村」人（領民）からなる領土は自然に手に入ったのである。明治に至るまで中央集権国家が成り立たなかった理由もそこにある。

　武士が敵将の首を取ることに拘った理由もまたそこにある。

　一例を挙げれば織田信長である。たとえば桶狭間の戦で彼が奇襲を行ったことには理はあるが、彼の頭を第一に占めていたのは、敵将の首を取ることであった。

事実、今川家は義元の首を取られたことで衰退し、逆に織田家はそれを機に台頭した。

これはやや余談めくが、西洋市民（民主）国家において敵将である大統領や首相の首を取ったからといって、たいして意味を持たない。なぜならそれに代わる人物がその座にすわる政治体制だからである。彼らの間に政治学が発達した理由はそこにある。従って彼らは日本人のような戦争の仕方はしない。あくまで殲滅戦である（これは古代ローマとカルタゴとの戦争を思い出せばよい）。

それは、たとえば大東亜・太平洋戦争において、連合国（アメリカ）は原爆を含めてあれだけの空爆を行いながら、不敬な言い方になるが、天皇の首を取ろうとはせず、戦後になって敢えて天皇に人間宣言をさせたのである。これは恐らく彼らの戦争に対する歴史的古層が、そこが大陸であったが故に、領土侵略戦という発想しか持てなかったからだと思う。

また東京裁判において、その本質を理解できた日本人は恐らく皆無だろう。つまり丸山眞男にしても、その裁判の結果を受け入れて「間違った戦争」だと言ったのなら、それはそれで筋は通る。民主主義の本質とは、よくも悪くもそうしたものなのだから。

が、彼の間違った戦争観は、民主主義における裁判とは縁もゆかりも無いところから出た、単に勝ち馬に乗っただけのものである。そのことは、戦後民主主義とは、単に「逃げ走る」「村」人の談合の歴史的古層に由来するものなのである。それは日本国憲法は言うに及ばず、国会を見聞していれば一目瞭然である。

再び信長に戻る。

彼は同盟関係にあった浅井長政に裏切られ、その戦勝の酒宴に長政の髑髏（どくろ）で酒を呷るという、現代人から見るといささか薄気味悪い行為に走ったのも、また本能寺の変で、ついに信長の首が見つからなかったのも、首を取られることが戦国武将にとって、いかに大きな意味を持っていたかを物語る。

それは戦国武将に限らず、徳川幕府を除けば、鎌倉・室町の幕府がいかに脆く、事実上数代で衰退しているのは、日本の政治体制の有り様を示している。その点、家康が賢明だったのは、幕府という派閥政治を後々にまで維持できるような、日本的政治学を築き得たことである。

いずれにしても日本人には西洋人のような国家観はなく、政治は人（武将）の技量の上に成り立っていたのに対し、西洋においては市民の質および政治体制が大きな問題となった。そこに学問としての政治学が大きな意味を持ったのである。

日本人は、人と人との関係を重視する派閥による国家という歴史的古層を生きてきたが故に、市民（「我考える」ことのできる個人）意識は生まれず、また当然、哲学、政治学のような学問も生まれなかった。ただし武士は戦をする人であったから、国家意識、市民意識に近いものは持っていた。福沢などはその典型である。

そうした東西人民の歴史的古層の違いは、戦後民主主義が外形はともかく、日本を民主主義とは似ても似つかぬものにしてしまった。

明治においては、市民に近い意識をもっていた下級武士の存在があったればこそ、どうにか憲法を作ることもできたが、戦後の「考える」能力をもたぬ「村」人・猿マネ民主主義者にそれはできず、また政党も自民党のように相変わらずの派閥政治であり、野党の分裂も所詮は同じである。ただ前者の方が権力を握る知恵があるだけである。

日本人には個人（「我」）というものがない。だからと言って、それを必ずしもすべて悪いと言っているわけではない。ただそのことを「考える」能力のないことが問題なのである。従ってどうして西洋に民主主義が蘇ってきたのかを「考える」能力がない。

日本人は古代から大陸の文明、文化をマネしてきたから、「マネする」ことが

「考える」ことだと思ってきた結果、武士・禅者を除けば「考える」能力はまったく発達しなかった。

そも古代ギリシャにおいて政治、哲学が議論されたのは、言うまでもなくそこが戦争社会であり、市民は戦争をすることを基本とし（オリンピックはその起源であり）、労働は奴隷のすることだった。

ここに現代西洋文明の原型（歴史的古層）があり、そこに政治学が生じると共に、その戦争に伴ってイデア、キリスト教が生まれることになった。そしてそれはさらに、デカルトの「我考える」を生み出し、そこから自然科学、産業革命、資本主義へと繋がってゆくのである。

つまりその意味では、資本主義とは主人である株主は働かず、奴隷という労働者が働く経済思想だ、ということである。そして西洋文明がそうした歴史的古層をもつ限り、いくらきれい事をいっても、その資本主義という奴隷経済から生まれた共産主義思想も所詮、主人と奴隷との関係でしかなかった。従って共産主義国における虐殺等は、主人が奴隷というモノを殺しているだけのことで、何の問題もないのである。問題はそうした思想を自己偽善――自分で自分を騙し、その騙された「私」が他人(ひと)を騙す思想(詳しくは『人類の没落』を参照)――を通して思想化していった西洋人の頭の悪さである。

日本人は明治以降、そうした西洋思想を取り入れたが、それを日本人向けに咀嚼理解したのは一部の下級武士だけであった。福沢、渋沢栄一らである。

しかし福沢の『学問のすゝめ』は、ベスト・セラーにしばしば有り勝ちな誤読によって読者に訴えかけたに過ぎなかった。つまり「天は人の上に人を造らず人の下に人を造らずと言えり」である。当時、身分社会を生きていた彼(また庶民)にしてみれば、それは自然に受け入れられる思想だったが、武士である彼にとって最大に訴えかけたかったのは「一身独立して一国独立する事」であり、そのためには「逃げ走る」「村」人が「客分」を止め「主人」になることだったたのだが、そんなことを「村」人の歴史的古層を生きてきた彼らが理解できるはずもなかった。今もできていない。

『学問のすゝめ』の誤読は次のようなところにも素因がある。彼は言う「実語教に、人学ばざれば智なし、智なき者は愚人なりとあり。されば賢人と愚人との別は、学ぶと学ばざるとに由って出来るものなり」と。

この言葉は現代に至るまで誤読されている。つまり東大に入学するために暗記鸚鵡になることが学問することだと。そうではなく学問とは、福沢のような士風（国家意識）があって初めて「実語教」になるのだ、ということが戦後の日本人には分からない。それは新渡戸稲造の『武士道』がアメリカ人に、また三島由紀夫の死を評価できたのが、私の知る限りではイギリス人ジャーナリスト、ヘンリー・S・ストークス氏だけだったことである。つまり市民とは、すでにルソーが『社会契約論』で述べたように、国家のために死ぬ覚悟があってこそその資格があるのであり、また西洋の学問もそれがあってこそ意味あるものなのである。しかるに戦後の「逃げ走る」「村」人暗記鸚鵡では西洋の学問をしたところでなんの意味もない。憲法一つ作れぬのになにが学問で、民主国家だということである。しかも幕末から明治にかけて学問をする者は少数であったのに対し、戦後は多くの人間が教育を受けながら、思想家と呼べる人物は皆無と言っていい。単なる暗記鸚鵡である。

ところで西洋人はなぜ、最低ともいえる民主主義という政治形態を取るに至ったのか、という疑問が残る。なぜなら生命は、群れ・闘争本能の下を生き、ヒトはそれを価値（言語）化した存在であれば、強力なリーダー・シップの下に国家を統治するのが自然であり、ましてや西洋戦争社会――国家同士の戦争――であれば独裁的国家にする方が有利なはずだ、と考えるのが自然だからである。事実、近代に至るまで再び民主制の採られることはなかった。民主制の最大の欠点は、単に口先だけの政治家がリーダーに成り得るからである。実際、古代ギリシャはそうであったればこそ、評価されなかった。そうであれば西洋戦争社会で、民衆に権力を与えるなど最低なことであった。その最低さは、実際ヒトラーによって実証された。

近代民主主義はアメリカ合衆国に生まれたと言ってもいいが、むろんその底辺にはイギリス政治史が横たわっているのは言うまでもない。

名誉革命（一六八八）、権利の章典（一六八九）によって立憲君主制が、また十八世紀前半のウォルポール内閣時代に議院内閣制が成立し、野党が市民権をもつに至り、トーリーとホイッグの二大貴族政党が成立した等の歴史が、アメリカ合衆国憲法に与えた影響は少なからぬものである。そしてそれは国王をもたぬアメリカ人工国家をして大統領制による統治機構を生み出すに至った。

しかしもともとアメリカ人（ＷＡＳＰ）に、今日の民主主義精神が宿っていたわけではない。初めから未知の精神がヒトに宿っているわけはなく、彼らが王国での迫害によって、メイフラワー号で大陸に渡ったときの精神は、信仰に基づくあくまで共和的なものであったはずである。彼らのその精神は「道徳の支配なくして自由の支配を打ち立てることはできない。信仰なくして道徳に根を張らすことはできない」（アレクシス・ド・トクヴィル『フリー百科事典・ウィキペディア』より）のものである。しかし彼は同時に今日のアメリカを予言するかのように、経済と世論との腐敗した混乱の時代が待ち受けているだろう、とも言っている。自由と平等とによる民主主義という専制を人民に与えたら、そうなって然るべきだろうと。そしてＷＡＳＰの行っている奴隷制、先住民族に対する非人道的暴力への批判も行っている。

今日、西洋において自由、平等、人権が叫ばれるようになったのは、そうした歴史があるからである。

それに対して、すでに述べたストークス氏の著作『英国人記者だからわかった日本が世界から尊敬されている本当の理由』で「日本は、全人類平等を提唱した唯一の国」だと評していることが、戦後の「考える」能力をもたぬ暗記鸚鵡には理解できない。丸山の間違った戦争観から一歩も出ることもできず、戦前の日本人の悪口を言うだけで、すべて終わりである。それは自分（日本人）が分からねば、外（外国人）からの視点も考えてみるべきだ、という知恵も働かない。

むろん近代民主主義が評価された理由もそれなりに分かる。分かるが、そこには絡繰があることを理解する者は少ない。つまり生命（当然ヒトも含まれる）は、「力（権力）への意志」（生の上昇）の下に成り立っているものであり、しかもヒトは無から有（価値の拡大）へと進化しながら、ヒトは戦争に勝つための方策として、デカルトの哲学において神の保証の下に、そこから無（自然＝肉体）を抜き取り、有（意識）だけの世界観を生み出すに至った。そしてそこから生み出される思考を理性と呼び、その思考法から民主主義が生み出されたのなら、それはそれで良いものになるはずだと彼らは考えたのだろうが、そうはならなかった。そのことはそれだけの原因があったからである。つまり彼らは、ヒトが肉体をもつものだ、ということを考えなかったのである。

西洋において民主主義の萌芽となったのは、まず中世ヨーロッパにおいて農業の発達により、農民の暮らしが豊かになったこと、また封建制下における農奴は奴隷的身分であると同時に、ヨーロッパは戦争社会であったから、軍役を強制されたが故に、彼らの歴史的古層には嫌でもキリスト教に基づく、後にデカルトの「我考える」の思考が萌芽していたこと、そしてそれが「我」に基づく市民意識となり、さらにそれが後のフランス革命に見られるように、自由、平等の精神に引き継がれていったのである（彼らの思想がそうした歴史的古層に基づくものであれば、「村」人である戦後の日本人にそんな思想が理解できるわけがない）。

その点、アメリカ人（ＷＡＳＰ）がイギリス王制の弾圧から逃れ、しかもその政治思想を歴史的古層にもてば、彼らの精神が自由とキリスト教とによる民主的なものになるのは自然である。

しかし同時に、民主主義が最低なものになるのも、これまた自然である。なぜなら市民という無智な階級が専制権力を握ってしまったのだから。加えて、近代民主主義を支えているのが資本主義の富だということを考えれば一層である。

古代ギリシャにおいて国家を支えていたのが、奴隷という資本であり、それが民主主義を成り立たせたのであれば、現代に至るまでアメリカ民主主義を支えてきたのも奴隷（資本）であったのも自然である。

が、アメリカにおいて産業革命とともに、北部が資本主義化し奴隷の価値が下るに従って、綿花を主産業とし奴隷を必要とした南部との間に軋轢が生じ、それが南北戦争へと発展してゆくのはある意味自然である（もっともこんな単純な構図ではないが、取りあえずこう言っておく）。

ただこの南北戦争のもつ歴史的意義は大きく、ただでさえ自由・独立の精神の強い彼らの歴史的古層に、後の格差問題、人種問題が加わると、彼らの内面はさらに複雑混沌と分断化してゆく。

その複雑混沌の一例として、リンカーン大統領時代に共和党は不動の地位を占めるが、その間彼らはいつしか大実業家側に付くことによって、小農、労働者の反発を買い、一九一三年にはついにW・ウィルソン率いる民主党に破れることになった。

そうした複雑に絡んだ南北問題を私に実感させたのが、J・F・ケネディ暗殺事件である。なぜそう思うに至ったかと言えば、その暗殺の背後にはどう考えても一流のスナイパー、そして彼を雇い支持する組織なくしては考えられぬからである。しかもその組織は巨大であり過ぎたが故、その事件を解明することは、彼らの間に伏在している南北問題の再燃に繋がり兼ねぬことを恐れる余り、闇に葬られたと考える。

ただアメリカのこの種の思考は、大東亜・太平洋戦争当時すでに見られるもので、日本軍の真珠湾攻撃をF・ルーズベルトが「騙し討ち」と批難するに至ったのは、当時不況下にあったアメリカ人の目を逸らし、戦争による復興へと大衆を集団ヒステリー化させることに目的があった。これによって多くのアメリカ人が彼を支持することになった。

このことを、たとえばジェイソン・モーガン著『アメリカはなぜ日本を見下すのか?』を読んでいて、同書のなかで氏の祖父が「『アメリカは日本と戦争する必要はまったくなかったのだ』」と言い、「当時のヨーロッパは今にも戦争が勃発しそうな状態であった。再選をかけていたルーズベルト大統領は、自分の地位を守りたい一心で、『私たちの息子たちを戦場に行かせることはない』と絵空事のような公約を掲げた」手前とは裏腹に「ルーズベルト大統領が経済制裁などの手段を使い、1年以上かけて日本を挑発し続けた結果だと祖父は言っていた。ルーズベルト大統領こそ祖父が最も嫌った根っからの嘘つきであり、卑劣な人間だった」と書いている。つまり「仕組まれた真珠湾攻撃」だと言うのである(私はアメリカ人がこうした陰謀をめぐらすことに基本的に違和感はないと同時に、当時の日本軍の無能さも否定しない。それは戦後日本人の愚かさに繋がっている)。

私の言いたいことは国内が分断化しそうになったら、敵を作る（戦争をする）ことだ、と言うことである。

それは戦後のアメリカが、今日に至るまで米ソ冷戦を含めて戦争をしていなかった時期を思い出すことができない。さらに彼らを戦争に駆り立てる理由として、アメリカ人の建国精神が新しいエルサレム建設とともに、自由と民主主義を求めて大陸に渡ったという歴史的古層を、今も生きていることである。それは「世界の警察官」などと言っていたことからも明らかだろう。つまり世界の警察官とは、アメリカの法が世界のそれだ、ということである。それがアメリカが嫌われる理由であり、その象徴的出来事が、9・11同時多発テロである。だがその原因となるものが、信仰による自己偽善に陥っている彼らには理解できない。（自己偽善については、詳しくは私の既刊書、『人類の没落』等に当たってもらうしかないが、一応、概説すれば、それはヒトが虚構（嘘）の世界を生き、そこで生き延びるために、自己を自らの嘘によって騙し、それによって他者を騙す思

考法である。つまり「人は自分で神を作り出し、それに隷属する」ということである）

そうした自己偽善による戦争の多発化によってアメリカが国力を落としたことが、世界の警察官を止めざるを得なくなったのであり、と同時に彼らの歴史的古層にある南北問題が、トランプ前大統領現象として現れたのである。

私はアメリカの世界の警察官にしろ、9・11同時多発テロにしても非難として記しているわけではない。どちらも一神教だということである。

一神教とは砂漠に生まれた自然のない、従って神を天に求める宗教であるため、神、ヒト、モノが垂直関係としてあるが故、排他的、優越的世界観をもった信仰、個人を生み出すことになる。それが象徴的に現れたのがユダヤ人とヒトラーとの関係であり、また共産主義という事実上の一神教が多くの虐殺者を出した理由でもある。

それに対して日本のような多神教（自然宗教）は、神とヒトとの関係が水平的であり、超越神をもたない。そして戦後の資本主義による自然破壊によって、日本人をして非神論者にしてしまったのである。

話はややアメリカに傾きすぎたが、ここでは民主主義の構造を論じているのだから致し方ない。構造というのはすでに触れたように、近代民主主義はその根底において資本主義の富に支えられているのだから、人民に主権が与えられようとも、それはあくまで外見上のものであって、実質は主人と奴隷との関係に基づく格差社会である。それは生命がある意味、弱肉強食的歴史的古層の下に、人類にまで進化してきたという現実からは逃れられぬ、ということである。

そのことはいくらアメリカ人が、自由、平等、人権を声高に叫ぼうとも、それは生命進化の宿命からは逃れられぬ、言い換えれば、ヒトはその意識の根底に宿す歴史的古層からは逃げられぬ、ということである。それは彼らがいまだに、銃社会を維持しているのは、彼らの歴史的古層に南北戦争以来の複雑混沌とした分断化が、爪痕として残されているからである。

それはリンカーンを思い出したとき、私は彼にF・ルーズベルトとの、その自己偽善における思考の類似性を感じざるを得なかった。つまりその騙しの手口である。

彼が奴隷解放（反対ではあったが）を訴えたが故に南北戦争が起こったわけではなく、戦局打開のために解放を訴えたのであり、さらにそれに乗じてゲティスバーグで「人民の、人民による、人民のための政治」という民主主義の理念を説いて戦意を高揚させたのである。

これはアメリカ人にはお叱りを受けるかもしれぬが、正直、私はこれには思わず吹き出してしまった。そんな理屈は所詮、理想論でしかないからである。なぜそうなるのかと言えば、キリスト教民主主義者には、進化の概念がないからである。つまり民主主義といえども、進化の概念からすれば強者（資本家）が勝つのであり、リンカーンの理想は絵空事でしかないからである。

では、どうすればよいのか。アメリカは資本主義＝民主主義の国であるから、彼らはそうした歴史的古層をもって思想し、発展・衰退してゆく宿命しかないのである。

つまり歴史の盛衰とは、自らが自らの歴史的古層を作り上げることで興り、自らの歴史的古層によって滅んでゆくのである。それはこれから述べる明治以降の日本も例外ではない。

日本人は歴史的古層に士農工商をもつが故に、資本主義の本質が理解できず、渋沢の合本主義（『論語と算盤』）と統治者能力をもつ武士のようなエリート集団とによって国政を担ってゆくしかなかった。戦後民主主義など所詮、「逃げ走る」「村」人の「お巡りさん」（世界の警察官）頼みである。そのお巡りさんもいなくなった。

しかしこの士農工商という歴史的古層によって、国体を形作ってきた日本から、そのエリート集団である武士が消滅してしまった現実は、三島の言うように「このまま行ったら『日本』はなくなってしまふ」という運命以外残されておるまい。

ところで気づいている方もいるかもしれぬが、私は無神経に、自由、平等、人権と書き並べてきたわけではない。ある意味、故意にである。

それはアメリカ建国時、自由、平等はあっても奴隷制、先住民族に対する非人道的行為は明らかに人権に反するものである。

そのことは自由と平等、つまり民主主義とは富の裏付けがないと成り立たぬ、ということである。それが奴隷という資本であり、しかもキリスト教において、神は白人の優越性さえ、彼らの自己偽善によって保証してしまっていた（ナチスもそうである）。

しかし資本主義が発達してくると、もはや奴隷の価値は低くなる。だから奴隷は解放されることになったのだが、アメリカ人（白人）の意識ではともかく、歴史的古層においては白人の優越性はそう簡単に捨て切れるものではない。つまりいまだにアメリカにおいて、人種差別が問題となるのは、彼らの意識と歴史的古層との間の、無意識の齟齬が解消されていないからである。またそう簡単に消し去れるものでもない。

そしてそうした歴史を持ちながら、平気で中国を人権問題で批判するのである。国際社会とは日本人のような柔(やわ)な精神で乗り切れるようなところではない。

戦後の日本人には、自由、平等、人権も理解できなければ、当然、民主主義もできない。そも歴史的古層にそんなものはないからである。だから口先の猿マネになるのである。

このコロナ禍で、日本に比べて圧倒的にアメリカ人死者数の多かったことが、その本質を示しているが、そのことを理解した日本人はまずおるまい。せいぜい「アメリカもたいしたことないな」くらいだろう。

たとえばアメリカ人の中に「マスクをする位なら死んだ方がましだ」と言っているのを聞いて合点がいった。そうした発言が彼らの自由の精神からのものだ、と理解できる日本人はまずおるまい。なぜなら三島も、命より価値あるもののために死んだのだから（ただしマスクにそんなものがあるとは思えぬが）。

『葉隠』の「武士道といふは、死ぬ事と見付けたり」のそのすぐ後に「我人、生くる方が好きなり、多分すきの方に理が付くべし」の一文がある。「逃げ走る」「村」人は「たかがマスクくらいで」と「理」を付けるだろうが、アメリカ人は「理」を付けぬのである。また『葉隠』には「勘定者はすくたるるものなり。仔細は、勘定は損得の考するものなれば、常に損得の心絶えざるなり。死は損、生は得なれば、死ぬる事をすかぬ故、すくたるるものなり」の一文もある。

この文章を読んで感じたことは、私はむろん、山本常朝にしても「理」に走り、「生死の損得勘定」をしたことがある人間だからこそ言えたことである。そしてあの三島でさえ「理」が付き「損得勘定」をした人間だからこそ、檄文で「生命尊重のみで、魂は死んでもよいのか。生命以上の価値なくして何の軍隊だ」と言えたのである。それが唯一、人間が動物と異なるところなのである。

だからアメリカはあれほど多数の死者を出しながら、トランプ前大統領は大非難されることもなかったのである。それがアメリカ人のキリスト教に支えられた、自由と民主主義の精神なのである。

そんな精神が日本の戦後民主主義にあるのか。もしアメリカに匹敵するほどの死者を出したら、政府は大崩壊である。なぜなら戦後の日本人は「生命以上の価値」をまったく持たぬから。

そも日本人は江戸時代まで、自由、平等、人権という概念を歴史的古層に持たなかった。なぜかと言えば、島国であり鎖国状態にあれば富は限られていた。従って当時の日本人を、今日の西洋思想を丸暗記するような空っぽ頭で測っても意味がない。と言うより当時、この世を諦めと信仰とからなる無常観で生きていた庶民の心は捉えられまい。

たとえば当時の遊女と、今日の売春婦と翻訳しても意味がない。彼女らの心にあったのは「一期は夢よ、ただ狂へ」(『閑吟集』)であって、彼女らの心に現代人の「老後の不安」のような、そんな贅沢な不安は持ちようがなかった。まさによくも悪くも「狂」なのである。福沢の母親が乞食女の虱を取ってやり、取らせてくれた褒美に飯を食わせてやったのもその無常の狂であり、山県有朋が狂介と名乗ったのもその狂である。

しかしその価値観が黒船来航によって一変したのである。しかもその上士風を失ってしまえば、空っぽ頭の歴史的古層の上に築かれた意識は、ただの西洋思想の丸暗記に走るだけになる。それは戦後の有り様を見れば分かることである。

そして今回の新型コロナ問題では、手も足も出なかった。危機管理能力のある武士が存在していれば、なんとかなったかもしれぬと思ったりもする。

日本に死者数が少なかったのは、「逃げ走る」「客分」だったからで、命綱となるのは結局、「主人」である「お巡りさん」頼みでしかない。これから主人にどれほどゴマを擂ることになるのか？

ここで民主主義の構造をより鮮明にしておくために、なぜ中国が民主化できず独裁国家になったかについて述べておく。

むろん外面的に中国が、アメリカに似ている面もある。似ているからこそ米中対立ということになったのである。それは両国が戦争と欲望との国だ、ということである。しかしその根本（歴史的古層）においてまったく異なることが、中国を決して民主国家にさせぬ理由である。

両国の最大の違いは宗教国家であるかないかの違いである。一般に非宗教国家は弱い。宗教的愛国心がないからである。旧日本軍にも一応、宗教（武士道）があったから強かったのである。

宗教があるから強いとは、「人は自分で神を作り出し、それに隷属する」力が働くからである。宗教に基づく愛国心が湧くのである。

それを持たなかったかつての中華王朝は、「背水の陣」などの思想を持たねばならなかった。それはかつてのソ連が、独ソ戦において正規軍の背後に、逃亡兵を射殺するための軍を置いたのと同じである。

中国を宗教国家にしなかったのは、異民族による侵略であり、また宗教が中華王朝の崩壊の一因に少なからずなったからである。彼らには宗教に対するアレルギーがあり、近年においても「法輪功」への弾圧があった。

結局、中国が宗教国家になれなかったことは、人民とを繋ぐパイプは金しかないことになる。必然的に宗教国家の持つ戒律がなく、賄賂政治化してゆく。そのことは性的禁欲、法的概念、食文化等を持たせぬことになり、何でも食べセックスに耽る結果として、人口爆発による貧困層が生まれ、それがまた子沢山となり、それが宗教を生み出すことで、戦乱へと繋がっていった。そうした彼らの歴史的古層が宗教アレルギーになっていくことになった。と同時に人口爆発という現象が、半ば本能的に宦官という宮刑思想を生み出し、それが現代の一人っ子政策に繫がったのである。

そして今日、中国が膨張化してゆく——一帯一路などの——背景にもそうしたものがあるが、もはや私には彼らの歴史的古層にある中華思想という伝統から、彼らが共産主義化を推し進めているというよりは、彼らの宗教アレルギーがアンビバレントに働き、あたかも毛沢東を教祖とする「共産教」を広めているかのようにさえ映る。それほどの威圧感を与えるから、太平洋に少なからぬ利権をもつヨーロッパ諸国さえも軍隊を送ることになったのである。

そうした歴史（歴史的古層）をもつ中国人に、西洋人のような市民意識——キリスト教の下に「我」が主権者だという意識——は生まれようがなく、彼らの「我」は金と権力とに屈するそれでしかなく、基本的に自由、平等、人権の意識はない。

そうであれば、アメリカ同様の格差社会ではあっても市民意識——人民のための政治意識——の「我考える」によって格差をなくそうとするような、そしてその両極にあるアメリカの二大政党制のような発想に発展してゆくことはまったくない。

中国、アメリカともに格差社会ではあっても致命的違いは、後者にはたとえそれが解消できずとも、自由、平等という価値観がある。つまり夢を見ることができ、希望を抱ける社会だということである。

それに対して中国において、富裕層という権力者層にとって言論統制も、監視社会も問題にならぬが、貧困層にとって致命的なのは動物園の檻に入れられた猿に外ならぬことである。従ってよりよく暮らすには権力に迎合するしかないことになるある種の恐怖政治である。市民権など問題外である。

そしてこれに似ているのが小中華国・韓国である。韓国は中国との親分・子分の歴史的古層関係を脱することができぬ以上、基本的思考法は中国と同じである。

中国同様、宗教はなく、それに代わるのが金権体質であり、また法意識の欠如である。

中国、韓国は儒教の国だというが、孔子とはほとんど関係がない。むしろ日本の方が関係が深い（たとえば渋沢）。

そう考えれば韓国の民主主義が滅茶苦茶なのも理解できよう。そして彼ら政治家との対話、約束事が無意味なのは言うまでもない。日本の政治家の愚かさは、自分のしていることが、蛙の面に小便だ、という自覚のないことである。

もっとも戦後日本の民主主義の酷さも、韓国のことをとやかく言えた義理ではないが。

そもそも日本には市民もいなければ、そのなんたるかも分かっていない。市民とは「我考える」主観の「我」であり、それは「神の存在証明」によって成り立っているものである。それがルソーが『社会契約論』で言う市民である。

そんな者が戦後の日本に存在するか、存在するのは「逃げ走る」口先、ゴマ擂り民主主義者だけである。

市民に近いのはかつての武士だけであった。『武士道』の新渡戸であり、福沢であり、内村鑑三らであった。

戦後の日本が駄目なのは、市民もいないのに民主主義などやっているからである。

これは蛇足だが、天皇制（日本）ファシズム等、日本人の無思想性について二三触れておく。

このファシズムはまったくの西洋の猿マネである。とは言え天皇を神とした武士の考え方は正しい。なぜなら西洋人同様に神による自己偽善の根拠によって、それを主観として「考える」しかないからである。戦後の日本人に「考える」能力がないのは、その種のもの（主観）をもたず、なんの根拠もない、単なる西洋の借りもの思想だから、主観も客観もないことになる。根拠はただ猿マネだけである。つまり日本人としての「我考える」のアイデンティティーをもたぬから、猿マネになってしまうのである。

日本人には主観・客観の意味がまったく分かっていない。

たとえば過疎地で農業に従事する老人が、なぜ便利な都会に出たがらぬのか、ということの意味である。

日本人は無（自然＝肉体）の上に、有（意識）を乗せた思考で生きている。だから農作業という自然に接することに共感性価値としての喜びが得られる。

それに対して西洋人は、デカルトによってそこから無（自然＝肉体）を抜き取られた意識というモノ（主観）で生きているから、彼らは自然と接してもそれはモノ（客観）としか感ぜられない。だから農作業とは、モノであるヒトが、モノを作る苦役でしかない。

しかしそれが一旦、戦争となると日本人の場合、敵兵もヒトという自然であるから、殺すことに抵抗を覚えるが、西洋人にとって敵兵はモノという客観だから、殺すことに――ホロコーストも原爆投下も――なんの躊躇(ためら)いもない。

このことは、西洋人は自然からなんの喜びも見出すことのできぬことを意味し、従って価値のない自然というモノからその拡大による富を得るしかない。それが自然科学という欲望となり、それが欲望の資本主義を生み出すことになったのである。しかも彼らにとって、自然はそれ自体なんの価値もないから、今日まで容赦なくそれを破壊してきたのである。そして恐らく今後も屁理屈をつけて自然を破壊し続けるだろう。なぜなら彼らにはそれ以外の思考法がないからである。彼らには人間も所詮、自然の一部に過ぎぬという思考ができぬ以上、人類の終わりは目に見えている。

はっきり言って、歴史的古層に砂漠の宗教をもたぬ日本人に資本主義は向かない。いくら「我考える」西洋人と資本主義で争っても、主観をもたぬ日本人に将来的に勝ち目はない。日本は福沢、渋沢のような知恵者を出すような教育によって、日本的に乗り切ってゆくしかあるまい。つまり経済はあくまで国益を第一に考える、ということである。

すでに述べたように、西洋人は自ら神を作り出し、その下で自己偽善によって自己を騙し、その騙された「我」（主観）で他者を騙すという自己偽善で生き延びてきた。

そのもっとも最悪なものとなったのがナチスである。それに多くのドイツ人が騙されたのである。「考える」とはよくも悪くもそういうものである（日本人は「考える」能力〈自己偽善能力〉がないから、そうしたことが分からない）。それはヒトラーの演説を見聞していると、彼自らが彼自身の演説に酔い騙され、それによって大衆をも騙すことができたということで、それが大衆を集団ヒステリーに陥れることができたのである。そしてその熱狂と陶酔とを通じて権力を握れるところに、民主主義に限らずあらゆる政治思想の弱点がある。と言うより、生命のもつ「力〈権力〉への意志」を言語によって価値化したヒトが、宿命として帯びざるを得なくなった集団ヒステリーである。ファシズムの根源もそこにある。

しかし日本における天皇は、「君臨すれども統治せず」だけの存在でしかなかった。しかも日本人のほとんどが、西洋人がキリスト教への信仰を持っていたようには、天皇に対してそれを持たず（一部の軍人がもっていただけで）、従って天皇による自己偽善による騙しはほとんど効果がなかった。従って戦後の日本人は、天皇の人間宣言を容易に受け入れたのである。誰も天皇の神性など信じていなかった。信じていたのは武士である三島くらいだろう（西洋の神は天との垂直関係にあり、日本の神々は水平関係にあった。故に武士だけが例外となった）。

つまり天皇制ファシズムとは、戦後の猿マネ学者の作り話である。大東亜戦争は単に「村」人が権力化した「村」人に屈し、迎合して起こった現象にすぎない。それを証明するかのように「村」人は、戦後すぐにも命の得（とく）になるアメリカ製民主主義に走り、いまだに日本国憲法にしがみついている有様である。

これはチェンバレンが指摘した、日本人の国民性である付和雷同性、集団行動癖、外国を真似するところから来るものであるが、次に述べることは、まったく性質は異なるものの同種と言っていい話である。

これはすでに私の既刊書で述べたことだが、森氏が「女性が会議に入ると長くなる」と言っただけで、女性蔑視だとか、男女平等だとかいって空騒ぎするのを見て、つくづく戦後の日本人は無知蒙昧だと痛感した。

私のように「考える」とはどういうことか、という謎になかば半生を費やした人間から見ると、正直この国はもう駄目だという気になる。

森氏は別に「女性が入ると会議の質が落ちる」と言ったわけではない。会議が長くなって良くなることもあれば、悪くなることもある。

ストークス氏は日本人の長所として、西洋人が白黒の決着をつけるのに対し、「灰色の決着」で事を収めることを挙げている。たとえば一〇〇名の人間がいて議論をし、賛否を問うて五一対四十九になれば、半数近くの人間が否定されることになる。言うまでもなく民主主義の手法であり決着は早くなる。しかしとことん議論をし、灰色の決着に収めるのには、それこそ長い時間がかかる。日本人は神有月といって古代からこの手法を採ってきた。だから森氏の意見を尊重しろと、そんなつまらぬことを言いたいわけではない。

空っぽ頭に言っても無駄かもしれぬが、少しは自分の頭で考えろと言いたいのである。

言語には「色」がついている。それを「空」で見てみろと言うのである。つまり少しは色即是空の境地になって、物に接することを覚えろと言うのである。すなわち短絡的に女性蔑視と批判することは、すでに女性蔑視の価値観が当人の歴史的古層に内在し、その色眼鏡を通して見ていることに外ならない。仮に女性敬視の価値観をもって見れば、森氏の発言はなんということもないのである。

戦後日本「村」人の頭はほぼこの空っぽである。歴史的古層において「考え」たことがないからである。しかし「考える」ということが、そんな簡単でないのは、デカルトの哲学からも、武士道からも分かるだろう。だが多くの日本人にとっての「考える」とは、その歴史的古層において「マネする」ことだ、と思っているのである。

これがアメリカの洗脳政策と一致してしまった。だから旧日本は間違いであり、民主主義が正しいのだ、という思想に簡単に染められてしまった。しかも戦後日本人は、「考える」能力がないから、民主主義がキリスト教、デカルトの哲学、ルソーの市民意識、資本主義の富等の上に成り立っているものだ、という思考が一切働かない。ただ大江氏のように「米国の民主主義を愛する人たちの作った憲法だからあくまで擁護すべきだ」という、「主人」に対する「村」人のゴマ擂りだけなのである。言うなれば、空っぽ頭にアメリカから「考える」視点が与えられ、それによって判断すればいいだけなのである。つまりその視点から旧日本を見るから、自虐史観になるのである。

そうであれば、すでに挙げた氏の『沖縄ノート』が引き起こした、旧日本軍による集団自決命令に係わる裁判が、それこそ支離滅裂なものになるのも当然だろう。そしてそれまで一流だと噂されていた氏の背後につく岩波書店、朝日新聞——ただ当時の私は「考える」とはどういうことかに悩み、価値判断を停止していたからそれを信じていたわけではないが——そしてその裁判の裁判長に判断能力のまったくないことに驚かされた。

茶番劇というか、喜劇というか、そういう類いのものである。

まったく論理というものがないのである。論理というものにも問題はあるが（後述）、たとえば犯罪が起こり、犯人を逮捕し起訴するには、それなりの証拠を挙げ犯罪を論理的に証明しなければならない。ところが『沖縄ノート』裁判にはそれがまったくないのである。根拠となるのは、ただアメリカに洗脳された旧日本軍＝悪で物を言う「空気」だけだから——それを氏らの空っぽ頭は「考える」

ことだと思っているらしいのだが――話は支離滅裂な珍騒動になるのは必至である。訴えた原告には気の毒だが、裁判長は被告大江氏ら側に無罪の判決を下したのである。

これはまさに最低な裁判に外ならぬが、戦後も相変わらず日本「村」人の頭は空っぽだという現実である。つまりアメリカ（西洋）に洗脳された猿マネ頭だということである。

三島が檄文で「自由でも民主主義でもない。日本だ」と言ったことの意味が、日本人には完全に分からなくなっている。

つまり彼が言いたかったのは、戦後の日本人は自らのアイデンティティー（自己の存在証明）を完全に失っている、と言いたかったのである。そして国民がアイデンティティーを失えば事実上、国家は存在しない、つまりそれは日本の「不存在証明」に外ならぬことになる。そして『沖縄ノート』裁判はまさにそれを証明してしまったのである。これは朝日新聞の従軍慰安婦報道も同断である。アイデンティティーを失っているとは、自分が何人にも属さぬということであり、それは自動的に愛国心の喪失にも繋がる。妾とは本来、そうしたものなのかもしれぬが。

そうなった理由は、日本が島国であり、歴史的に外国との戦争がなかったことと関係している。

国家とは家である。家であれば敵から攻められたら家族を守ろうとする意識（これがアイデンティティーを生み出す）が普通なのだが、日本「村」人の歴史的古層にはそうしたものがなく、「逃げ走る」「客分」をやっていればよかったのである。

アイデンティティーとは、かつて武士がもっていた尊王攘夷思想がそれである。それはいかなる国家の国民も、多かれ少なかれ持っているものなのだが、日本「村」人にはその種の歴史的古層がないから、自分が「日本人だ」というアイデンティティーがない。それが日本人の異常ともいえる愛国心の低さであり、西洋の猿マネに走る理由である。

だから民主主義を理解しようという気も起こらねば、その能力もない。つまりアメリカの妾の地位さえ維持できればそれでいいのである。こんな民族に未来のあるわけがない。

ところで「論理」の問題であるが、私はそれにクエスチョン・マークを付ける人間である。

私はニーチェ同様に「肉体のもつ大いなる理性」で物を「考える」人間であるから、西洋思想そのものを否定する。特にデカルトの、本来ヒトが持つべき歴史的古層の無（肉体）をキリスト教をダシに抜き取ったことに、断固抗議する者である。抗議するとは、ヒトという自然生命を化け物に変えてしまったことに対してである。それはヨーロッパ・キリスト教文明が、砂漠に生まれた自然を嫌う文明だからである。

それはたとえヨーロッパが戦争社会とはいえ、まさにそれによって彼らは肉体(自然＝無)を失った意識(主観＝有)をもって論理化し、体系化し――肉体がないからそれができるのであり、ニーチェや私の思想が論理化できぬのは、肉体(無)があるからである――それをもって西洋文明をニヒリズムを孕んだ「殺しの文明」に変えてしまったのである。そしてその肉体(自然)を失った、彼らのヒトを含めた自然殺しの、主観に基づく論理の学問が科学である。

西洋人は今頃になって、自然(環境)破壊を問題視するが、それ以前に西洋文明そのものが、ヒトを含めた自然殺しの文明だということの方が問題なのである。

私は西洋文明という殺しのそれが、いずれ人類自らを滅ぼすだろうと確信している。なぜなら自ら生み出した文明(思考法)で、自らの文明を否定することはできぬから。ニーチェが価値の転換を言ったのはそのことである。

なぜ私がそう思うかと言えば、ナチスのホロコーストを「人道に対する罪」だ、などと言ってごまかしていることである。つまり彼らを悪者に仕立ててそれで終わりにしたことである。

これも西洋文明お得意の自己偽善の手口である。自分で自分を騙し、——ナチスを悪者にすることで——自分を善人化するのである。

そうではなく、西洋文明そのものが「人道に対する罪」の文明だ、という自覚が生まれぬ限り（私は決して生まれぬと思っているが）、人類はそう長くはないだろう。

つまり外見こそ異なれ、彼らの歴史的古層、自己偽善の手口はヒトラーと変わらぬということである。これは単なるナチスの問題ではなく、西洋文明が歴史的古層にもつ殺しの思考（主観・客観）が解決できぬ限り、どうにもならぬものだということである。アメリカの原爆投下にしても「人道に対する罪」だという自覚が生まれぬ限り、人類は終わりだということである。

以下に記すことは、これまでと多くの面で繰り返しになる。が、敢えて私がそうしたのは、そんなに簡単に理解できるようなことではないからである。私は戦後の日本人の頭の悪さを、暗記鸚鵡として認識させられた。

むろん今が江戸時代であるならそれでもよいかもしれぬが、今は戦後日本である。日本人がその事実を認識できぬのは、私に、ヒトはその者の育った歴史的環境――日本においては「村」社会という歴史的古層――から抜け出せぬものだ、と痛感させられた。

私が日本人の頭の悪さと言うのは、原初のヒトの思考から一歩も思想進化しておらぬことである。つまり日本人は生命（サル）の無から進化し、有のヒトになったところで、止まったままだと言うことである。すなわち、無の上に有を乗せた思考を生きているだけだ、と言うことである。

それをヨーロッパ人は、そこが戦争社会であったが故に、デカルトが行ったように「我考える」ために神の保証の下に、その無という肉体を抜き取り、それを意識という有＝主観とした。

なぜそんなことをしたかと言えば、そこが戦争社会であり「我で考える」ことによって「敵を殺す」方が有利だったからである。つまり主観とは「殺し」のための思考法なのである。科学もそうである。

そういう有を生きるヨーロッパ人には、無（「0」）という数字の概念がない（「0」は古代インドに生まれた）。そのことは、彼らの意識の思考法には無という肉体（自然）がなく、その無（「0」）のない意識は、当然「1」からなる有の数字の思考法を取る。

ここで話を一寸戻すが、生命（サル）は本能（食餌、生殖、闘争、群れの諸本能）を生き、ヒトはそれを本能的価値に置き換えたが、西洋人においては本来そこにあるべき本能的価値が、その戦争の多発化ゆえに破壊されることになった

（日本人にはそういうことは起こっていない）。つまり群れ本能的価値（「わたしたち」）がある限り、「我考える」ことはできぬから、彼らはそこを「『我考える』キリスト教集団価値」に変異させてしまったのである（この辺りの詳しい説明は私の既刊書に当たられたい）。

彼らの「1（イチ）」からなる有の数字の思考法とは、群れ本能的価値という肉体（無＝「0（ゼロ）」）がないから、幾らでも「1（イチ）」からなる論理の数字（思考）をまやかしによって体系化することができる（カント、ヘーゲル等）。このことは自然を数字で計る自然科学が生まれたのもそうであるが、これは単なる偶然であって、そのことが分かっていないからこそ、彼らは社会科学などという馬鹿げたものを考え付いたのである。

この事実は、彼らが殺しの学問の土壌にあって、それを発達させることはできたが、自らの内面（ヒトの心とはいかなるものか）についてはまったく興味を示さなかった（後にフロイトによって、ようやくその方向への思考が為されることになったが)。それは「『0(ゼロ)』の哲学」(禅など)を生きる東洋の方が発達したが、戦後の空っぽ頭の日本人にはそうしたことを「考える」知能もなかった。

それに対し、ヨーロッパ人の肉体のない神に保証された有の数字の思考法は、当然の帰結として論理的思想体系を生み出すことになる。この神に保証された思想体系は、「殺し」において強かったのは確かである。なにしろ彼らは「人は自分で神を作り出し、それに隷属する」ような神をもっていたのだから。

ところが、彼らはその事実がまったく分かっていなかった。

それはたとえば「主観と客観との一致」などという、愚にも付かぬことに頭を悩ませていたことからも明らかだろう(当然、無の上に有を乗せた意識を生きている日本人には、そんな悩みは生まれない)。つまり、もともとヒトを含めた自然という一つのものを、戦争に勝つために神の保証の下に、勝手に「我」という主観を作り出しておいて、それが客観と一致するかどうかなど、そもそんなことを考えること自体が馬鹿げている。そんなことはいくら考えても解けるわけがない。そもデカルトが意識から肉体（自然）＝無を抜き取ったことに原因があるのだから。

とにかく彼らは、戦争社会とともにキリスト教という砂漠に生まれた宗教を背景に持っていたから、彼らをして生き抜くための（殺しとしての）主観に基づく欲呆け（資本主義）、嘘つき名人にしてしまった。そのために彼らは自分をも騙す自己偽善を生み出すに至ったのである（これが日本でできたのは武士だけだった）。

彼らの嘘つき思想体系もカント、ヘーゲルまでは無害だったが、マルクスに至ると、もともとヨーロッパ文明は「殺しの文明」だから、それによる大災厄は目も当てられぬものになった。つまり「殺しの文明」とは、彼らの意識には自然（肉体）という無がないから、彼らの意識は、ヒトを含めて自然を殺すことに歴史的古層においてなんの抵抗もなかった。

ニーチェが「ヨーロッパのニヒリズム」と言って訴えたかったのはそういうことであり、その現実化が第一次世界大戦である。

しかし彼らはそうした叡知（歴史的古層）をもたぬから、ニーチェの思想はまったく受け入れられなかった。そしてそれはその後、ナチスのホロコースト、アメリカの原爆投下へと続くのである。

そのことは民主主義の根底（歴史的古層）には、そうした思想があるということである。そういうことが日本人にはさっぱり分からぬから、平和憲法なのである。

そもヨーロッパ人には「主体は虚構（嘘）である」という思想がニーチェを除けばない。これは当然のことで意識だけを生きる彼らに、それが嘘だという発想は生まれようがない。なぜなら、それを嘘だと認識してしまったら、生きていかれぬからである。

ちなみに私が主体が嘘であり、ヒトが虚構の世界を生きる存在だと認識できたのは、私が無あるいはニヒリズム（肉体）の思想を生きているからである。その無から見れば、意識は嘘であるとしか考えられない。

日本人にとって「考える」とはどういうことか、私なりに説明しておく。

日本人は、無の上に有をもつ意識を生きている（西洋人はその無を抜き取り「我考える」＝市民意識とした）。しかし日本人のそれでは「考える」ことはできない。群れ本能的価値である「私たち」があるからである。そこでその群れ本能的価値を切り捨て――身心脱落（禅、武士道、いずれも進化の逆行）によって――無（色即是空）に達し、その「無私」から意識（「私たち」＝有）を見上げるとき、初めてそこにおいて「考える」ことができたのである（ただし私の場合ニヒリズムに陥っている）。

言い換えれば、現代日本人の有（意識）からしか世界を見ることができぬのを改めようとすれば、身心脱落によって無という原初のヒトにまで達し、そこからその有（意識）に至る進化の過程を辿り見ることによって、その落差のなかで「考える」ことを見出すしかないのである。はっきり言って難しいかもしれぬが、昔の日本人（武士等）は普通にそれをやっていたのである。

とは言え戦後の日本人はまったくそういう思考ができない。いくらそんな頭で「考え」ても猿マネになるだけである。その結果、戦後日本人の頭は幼稚園児並みになってしまった。

かつてレーヴィットが言った、二階ではプラトン、ハイデガーを論じ、階下では日本的に考え、感じたりする、その両階を繋ぐ「梯子」はどこにあるのかという疑問は、要するに階下は空っぽで、そも梯子なんてものはないのである。

つまり日本人がプラトンやハイデガーを論じるのは、言ってみれば猿マネ思想のファッション・ショーのようなもので、そのショーに空っぽ頭の観客が喜んで金を払うから、戦後日本に西洋思想が繁昌しているだけの話である。それは戦後民主主義の繁昌も、単なる輸入思想ファッション・ショーが流行っているだけのことで、思想とは無縁なのである。

そも日本人に、ハイデガーがなんの関係があるのか、という疑問が浮かばぬのは空っぽ頭だからである。空っぽ頭にはそも思想とは何かという思考がない。「考える」ことは彼らにとって金儲けのファッションに過ぎぬのである。しかも空っぽ頭だから、自分の頭が空っぽだと自覚することもできない。

その象徴的人物が丸山である。すでに一寸触れたが、彼には言語には「色」が付いていることが分からない。

彼は旧日本軍を「軍国支配者の無責任の体系」と批判したが、それは彼の（歴史的）古層に、「日本人の無責任の体系」の思想が、無意識にも横たわっていることを意味する。彼の古層にそうした思想がなければ（無縁だったら）、そもそうした思想そのものが浮かび上ってこない。つまり歴史的古層が「空」であれば、

「色」として現れることはないのである。

これは一寸逸れるが、良寛が「銭を拾うということは嬉しいことだ」という話を聞いて、懐から銭を取り出し、それを道端に投げ拾ったが、少しも嬉しくなかった、という話と同じである。「空」（無）になるとはそういうことである。

そしてこの丸山の「戦後日本人の無責任の体系」は、もろに朝日新聞従軍慰安婦報道、大江著『沖縄ノート』裁判という二つの事件によって現れた。

この二つの事件は、両者ともにその歴史的古層が空っぽ頭の「村」人であることに原因がある。つまり西洋市民、武士のように「考える」ことができぬことに。だが彼らには「考えたい」という欲求はあったのであり、その「考える」ことによって「（私は）ある」を実感したかったのである。しかし空っぽ頭だから「考える」ための「私」の視点がない。が、たまたまそこにアメリカから与えられた旧日本軍＝悪という洗脳政策があったから、彼らはいとも簡単に洗脳されてしまったのである。

従って二つの事件に共通しているのは、たとえば警察であれば、事件を立証するためには、証拠、現場検証・聞き込み（現地調査）をやるが、彼らはまったくやっていない。根拠はアメリカによる洗脳と風聞の類いだけである。

ところが民間有志に現地調査をする者が現れ、この二つの事件がまったくのでたらめであることが明らかになったが、それはなんの役にも立たなかった。なぜなら空っぽ頭にとって真実などどうでもよく——それを「考え」追究する能力もなく——ただその洗脳が「ある」を実感させてくれればよかったのである。加えて当然のことだが、日本「村」人全体になんの判断能力もなかったことである。そして彼らが選ぶ政治家も同断である。

こうなればこの二つの事件が、滅茶苦茶になるのは当然で、彼らがなにを言っているのかさえも分からぬ代物になった。これが戦後知識階層の現実であれば、戦後民主主義を含む西洋思想が、単なる猿マネ・ファッション・ショーになるのは当然だろう。そしてそこに西洋の思想家の名前がやたらと引用されるのは、グッチやシャネルを高級なものとして愛用する大衆の心理と変わらない。要は朝日や大江氏は、自前の視点をもたぬから彼らを借用するしかない、というのが現実だろう。

この二つの事件について、考えさせられることがある。それはデカルトに関してである。

私は彼の「我考える、故に我あり」にずっと違和感を覚えてきた。彼の「神の存在証明」による「我あり」は、それなりに納得していたが、なぜ「故に」、「我あり」になるのか理解できなかった。

彼にしてみれば、神の存在証明が為されたことで、「我あり」の疑問は生じないはずである。なぜなら西洋哲学はキリスト教と一蓮托生だから、『聖書』以前の歴史的古層がない。つまり神がヒトを作ったのだから、「我あり」は当然となる。従ってハイデガーのように「なぜすべてのものは在るのか」という陳腐な哲学は生まれても、「なぜすべてのヒトは在る（意識を持つ）のか」という思考は生まれない。

それは日本人を見ても分かるが、「我」はなくとも──「私たちは考えない」「村」人の空っぽ頭でも──「ある」の意識はもっている。

この事実は「ある」はデカルトの「我考える」が「故に我あり」に繋がっているわけでないことを示している。

いかなるヒトも、その差はあっても「ある」の意識を生きている。この意識が「自己の存在証明」（アイデンティティー）となり、これが強ければ強いほど生きていることとの実感が得られる。

すでに挙げた「戦後日本人の無責任の体系」の二例はそこから来ている。つまり「私は生きている」という実感（「ある」というアイデンティティー）さえ得られれば、真実などどうでもよく、空っぽ頭のでたらめな証拠で十分だったのである。そのことは「私」をもたぬ日本人に論理的に「考える」という思考法を歴史的古層に植え付けさせず、「私たちは考えず」とも「空気感」さえあれば、その「ある」の実感が「正しい」ことになってしまうのである。つまりそれは日本人としてのアイデンティティーのないことが、――三島の言う「日本だ」がないことが――こんなでたらめな事例を生み出したのである。この根本原因は、西洋市民、武士のように「考える」ことのできる者が存在しないことにある。

そして今日に至っても「考える」ヒトが存在しないのは、日本人にとって西洋思想は二階で行われるファッション・ショーであって、それで自己の存在証明ができてしまうところに問題がある。つまり「私」なんてなくてよいのである、アメリカという「主人」さえいてくれれば。

この事実は、戦後の日本人にはまったく思想がないことの証である。

思想とはそも「私」(「無私」)があるから「考える」ことができるのであり、「私たち」の「空気」のなかにあるものではない。戦後の日本人は、ただ「空気」のなかにあるだけだから、一切、思想はできぬし、また生み出すこともできない。

これはある種洗脳の恐ろしさである。デカルトは「我考える、故に我あり」として「我で考える」ことに神を利用した（自己偽善によって「我」を生み出した）。武士も天皇や主君を利用した（自己偽善によって「無私」を生み出した）。

ところが朝日、大江氏は「ある」に執着したが、そも彼らには「私」がない。「私」がないから、彼らの発言は論理もなにもない子供の譫言（うわごと）になってしまったのである。洗脳の恐ろしさは、子供の譫言でも、自分は「考えている」と思ってしまうことである。

これは戦後民主主義についても言える。民主主義は西洋からの借りものの思想であって、日本人の歴史的古層に有るものではない。そうであれば民主主義を借用するにしても、それに手直しが必要になるのは当然だが、空っぽ頭には一切そうした知恵は働かない。と言うよりそうした「考え」そのものがない。ただの安直な猿マネである。

まるで戦後の日本人とは、アメリカに強姦され、そのまま妾となり、美食とお笑いとに現をぬかす誇りのかけらもない民族としか映らない。

その点、明治維新という、幕藩体制とはまったく異質な国家を、血で血を洗う闘争のなかから作り上げた武士の大きさは、改めて痛感させられる（その本質は西洋の革命と同じである）。これが今日の同じ日本人とはとうてい思えない。確かに日本民族は、昭和二十年八月十五日に滅んだのである。

ところで洗脳の恐ろしさと言っても、もともと主体は「我」という嘘（虚構）で成り立っているわけだから、洗脳を解くことの恐ろしさ（苦痛）は、その「我」がなくなってしまうのだから、そも「我」が存在しないのに、「我」でなければならぬという大矛盾の苦痛である。

それを西洋人で少なくとも真っ正面から向き合って苦しんだのが、ニーチェである。彼があれほどキリスト教を批判したのは、そも生命界において、「我」などというものは成立せぬのに、その「我」を成り立たせている絡繰（からくり）がキリスト教にあると見抜いたからである（むろんそれだけではなく、それがヨーロッパ文明を「殺しの文明」にしている等の理由もあるが）。結局、彼はこの洗脳の元凶であるキリスト教を否定する（「我」を失う）ことによって、狂気に陥ることになった。

それを私の場合で言えば、三十歳の頃、自分が洗脳によって生きていることを悟り、その洗脳を解かれた本来の己を見付けるために、情報遮断による苦しい隠遁生活を三十年間も続けることになった。それによって分かったことは、ヒトは言語（価値）の世界を生きているから、それによって洗脳されて生きることになる。しかしそれを「色即是空」の目で見れば価値は脱落してしまうから、「色」は「空」となる。つまり「無私」で生き「考え」ればよいのである。それは武士道、禅と考えを同じくする。

これは三島の思考法も同じであるが、彼は自らの思考構造を明らかにすることはできなかった。

所詮、人の一生は死をもって終わるだけである。ならば己の命より貴い価値のために死ぬことも、そう悪いことではあるまい。しかしもうそういう思想は日本にはない。ただの口先だけである。

補記

正直、これまで書いてきた私の思想（既刊書『人類の没落』『ある文明の終焉』等）が、時に私自身にも分からなくなることがある位だから、読者にはもっと分かりづらいだろう。そこでここに私自身の整理も含めて図示することによって、全体像を明らかにしようと試みた。新たに私自身大きな発見もあった。

この図の示していることは、ヒトの生命進化の歴史、その構造、そしてその内部関係であり、それはまた同時に、ヒトそれ自身の内面にも当て嵌る。

なお、この図の視点は無・ニヒリズム（肉体）からのものである。それは武士、禅者のそれと言ってよい。図でいえば、中心軸＝言語化の右側部分である。ただし日本「村」人はその左右どちらにも属さない。「考える」ことをしないからで

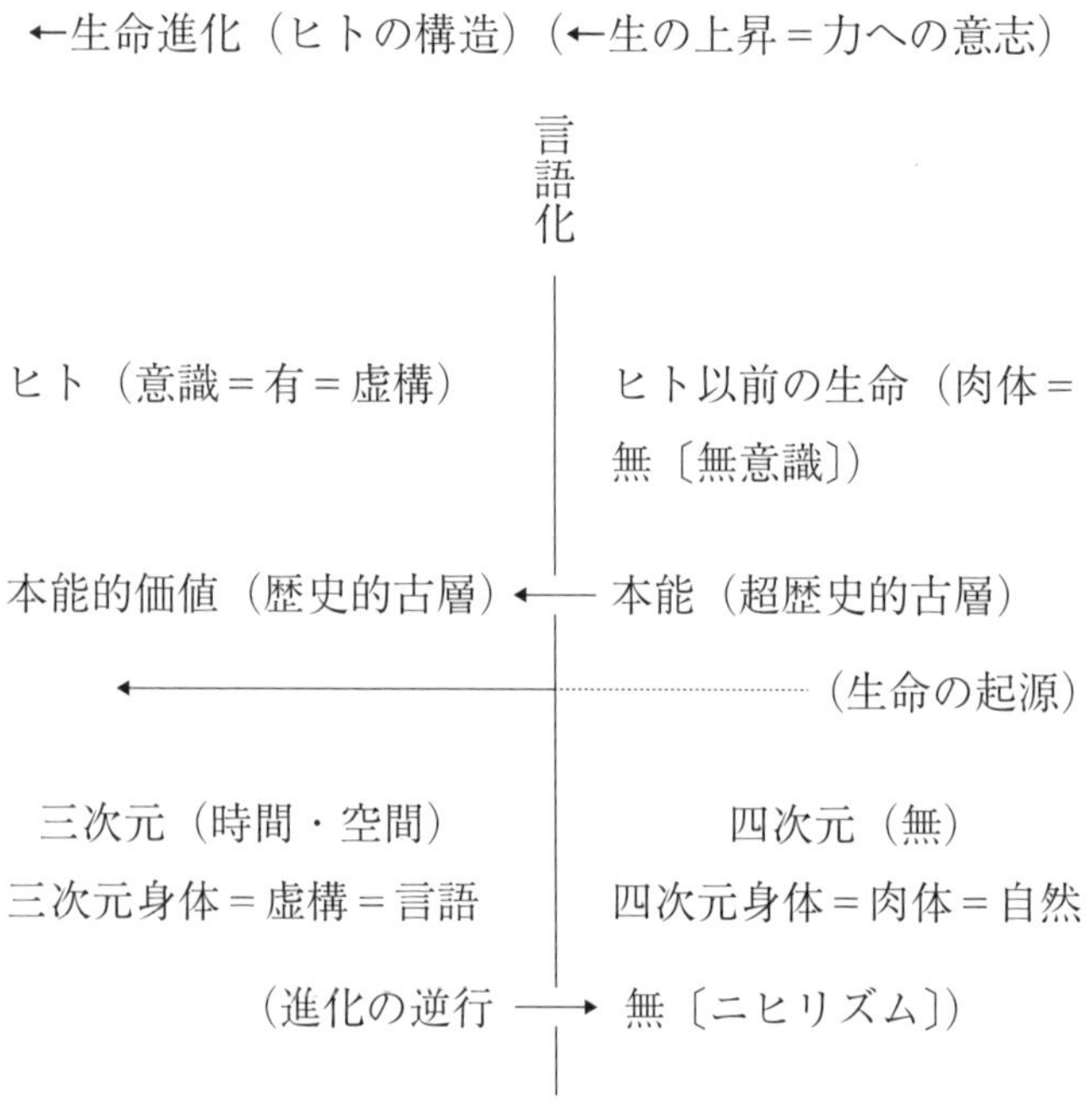

←生命進化（ヒトの構造）（←生の上昇＝力への意志）

言語化

ヒト（意識＝有＝虚構）

ヒト以前の生命（肉体＝無〔無意識〕）

本能的価値（歴史的古層）←― 本能（超歴史的古層）

←―――――――――――（生命の起源）

三次元（時間・空間）

三次元身体＝虚構＝言語

四次元（無）

四次元身体＝肉体＝自然

（進化の逆行 ―→ 無〔ニヒリズム〕）

ある。

もともとヒトとはいかなる存在か、と言うよりそも宇宙とはなんであり、そこに生まれた宇宙人＝ヒトとはなにかと問うと答に窮するが、一応私の見た世界を図示したものである。

まず私は宇宙を四次元＝無・無限と定義した。従ってすべての地球上生命は、四次元生命（肉体）であり、それは自然のなかで変異することによって進化してきた。

が、ヒトが厄介なのは、四次元生命（自然という肉体をもった生命＝四次元身体）でありながら、進化のなかで戦い生き延びるために、三次元身体という意識から成る虚構の身体を生み出したことである（四次元世界とはそういうことができる厄介なところである）。

つまりヒトは基本的に四次元身体（肉体＝無）を生きながら、同時にそこに変異による言語に基づく虚構の三次元身体をも生きることになった。ところがこの三次元身体は意識（有る）による進化において、生存のために戦うために生まれたものであるから、肉体（無）とは違って生の上昇のために「考える」力がある。

このことを生命界（自然）という舞台に譬えれば、そこでは四次元身体（肉体＝無）が主役なのだが、そこで生き延びるために「考える」（虚構を作る）能力をもった変異としての、三次元身体（有）が生まれたのである。そして言わばその脇役的存在である三次元身体が発言力を持ってしまったが故に、いつしか主役である無言の四次元身体が蔑ろにされることになった。

これがヨーロッパ文明の始まりである。つまり彼らは勝手に虚構の神（一神教）を作り出し、それによって「我考える、故に我あり」とし、その「我」は虚構（脇役）であるにも拘らず、主役を演じはじめ、本来の主役である四次元身体（肉体＝無）なんてなくてもいいと言い出したのである。

これはとんでもない進化のルール破りである。なんとなれば三次元身体＝意識

＝虚構とは、あくまで進化における変異という脇役であり、四次元身体＝肉体を生き延びさせるためのものだからである。

つまり生命（自然）舞台において、脇役（意識という虚構）が主役（肉体）を追い出し、勝手な科白（思想）を語り出すということは、もはやそこで演ずべき主役（肉体）が追放されてしまっている、という異常なことである。この狂った文明がヨーロッパ文明（「ヨーロッパのニヒリズム」）である。

なぜそれを進化のルール破りというのかと言えば、変異によって生まれた意識とは生命史上、本来、無言（無）で行われ肉体に伝えられるもので――つまり武士道の無のようなもので――変異によって主役である肉体が喋るというのならともかく（ニヒリズムのように）、変異それ自身がぺらぺらと喋り出すとは、まさに狂っているとしか言いようがない。

それを図で示すと、言語化という中心軸の左側の、肉体のない虚構＝意識の世界である。つまり意識が、進化の主役である肉体を追放し自分が主役だと言い出したのである。具体的に言えば、デカルトが意識という虚構を、神の存在証明によって主体＝「我」にしたということである。ニーチェが「主体（我）は虚構である」と言ったのはそのことであり、それ故に彼はキリスト教を激しく非難したのである。

ヒトが言語（意識）化したのは、あくまで進化によって戦い生き延びるための変異である。それをヨーロッパ人は肉体（実体）のない虚構の意識＝「我」を主体としたのである。このことはニーチェが言うように世界を「肉体のもつ大いなる理性」で見ることができず、虚構というバーチャル（仮構的）な視点でしか捉えることができなくなった、ということである。このバーチャル（仮構的）と虚構とは、肉体という実体をもたぬことでは同じである。そこに彼らは肉体をもたぬコンピューターという、思考の一部を代替できる機械を発明し、それが今日のインターネット社会を生み出すに至ったのである。

それは世界を、肉体のないバーチャルなモノから成る、ゲームと見るような思考を無意識に育むことになった。戦争においてもそうである。その最初とも言えるのが第一次世界大戦であり、その一つが毒ガス兵器である。つまり敵兵はヒトではなく虫というモノであり、殺虫剤で殺せばいいだけのことになった。

その後、西洋人は戦争およびそれに伴う殺人を、バーチャルなゲームとしか見れなくなった。それはナチスのホロコースト、アメリカの原爆投下、スターリンの粛清等であるが、私がなによりもそれを実感したのは、湾岸戦争の折、テレビで放映された、アメリカ軍の戦闘機が敵基地をミサイルで攻撃する映像であった。そこには一滴の血も流れず、一つの死体もない、ただ破壊だけの戦争ゲームであった。

こういう戦争・殺人が、９・11同時多発テロのようなものを引き起こす、ということがアメリカ人には分からない。なぜなら西洋人を除く多くの人々は、歴史的古層において肉体を持っているから、戦争による破壊の下には多くの苦痛・地獄のあることを知っている。分かりやすく言えば、原爆は「キノコ雲」ではないということである。

彼らのバーチャルな思考法は、なにも戦争に限ったものではない。彼らの思考法そのものに肉体のないことが問題なのである。

彼らの文明は一見、繁栄を誇っているように見えるが、本質的には片端（かたわ）である（ニーチェの言いたかったこともそれである）。たしかに数学、物理学といったバーチャルな学問は発展した。しかしそれを社会科学に応用したのは大きな間違いである。

たとえば戦後アメリカ経済学は、数学というバーチャルなものを導入し隆盛を誇った。それがなぜ間違いかと言えば、経済の本質は労働であり、それは肉体に基づくものであり、数値化などできるものではない（労働意欲を数値化できぬことを考えれば十分だろう）。

郵便はがき

差出有効期間
2022年7月
31日まで
（切手不要）

160-8791

141

東京都新宿区新宿1－10－1
(株)文芸社
愛読者カード係 行

ふりがな お名前		明治 大正 昭和 平成 年生 歳
ふりがな ご住所	□□□-□□□□	性別 男・女
お電話 番号	（書籍ご注文の際に必要です） ／ ご職業	
E-mail		
ご購読雑誌（複数可）		ご購読新聞 新聞

最近読んでおもしろかった本や今後、とりあげてほしいテーマをお教えください。

ご自分の研究成果や経験、お考え等を出版してみたいというお気持ちはありますか。

ある　ない　内容・テーマ（　　　　　　　　　　）

現在完成した作品をお持ちですか。

ある　ない　ジャンル・原稿量（　　　　　　　　　　）

書　名				
お買上 書　店	都道 府県	市区 郡	書店名	書店
			ご購入日	年　月　日

本書をどこでお知りになりましたか?

1.書店店頭　2.知人にすすめられて　3.インターネット(サイト名　　)

4.DMハガキ　5.広告、記事を見て(新聞、雑誌名　　)

上の質問に関連して、ご購入の決め手となったのは?

1.タイトル　2.著者　3.内容　4.カバーデザイン　5.帯

その他ご自由にお書きください。

(　　)

本書についてのご意見、ご感想をお聞かせください。

①内容について

②カバー、タイトル、帯について

弊社Webサイトからもご意見、ご感想をお寄せいただけます。

ご協力ありがとうございました。

※お寄せいただいたご意見、ご感想は新聞広告等で匿名にて使わせていただくことがあります。

※お客様の個人情報は、小社からの連絡のみに使用します。社外に提供することは一切ありません。

■書籍のご注文は、お近くの書店または、ブックサービス(0120-29-9625)、セブンネットショッピング(http://7net.omni7.jp/)にお申し込み下さい。

それは資本主義が本質的に間違っている、ということである。そのことを直感した渋沢は、それを合本主義（『論語と算盤』）とし、日本的なものに改めた。

なにが間違っているのかと言えば、西洋人の意識には肉体という自然がないから、労働は苦痛以外のなにものでもない。つまり労働は奴隷のするもので、資本家という主人は働くものではないというのが資本主義であり、それは西洋人の歴史的古層から来ているものだから、その彼らの意識を変えさせることはできない。

しかし彼らの肉体のない意識は、バーチャルな学問を発達させ、労働という苦を逃れるためにはどうしたらいいかを考えたのである。それが自然科学を生み、産業革命、資本主義、植民地主義へと繋がっていったのである。

さらに資本主義は数値というバーチャルなものの上に成り立っているから、資本主義そのものがバブル（虚構）であって、いわゆるバブル経済とはその突出したものであるに過ぎない。つまり彼らの経済思想には、労働という実体的なものがなく、労働者という奴隷探しの上に成り立っているに過ぎない。

しかし今日、グローバル経済化した富んだ世界にあって、かつて日本人がもっていた和による労働価値観は、それが貧に基づくものであるが故に失われ、バーチャルな数値による競争という、欲望の資本主義に走ってゆくことになった。当然そこは競争社会だから和は失われ、それに敗れた者は職を失い路頭に迷う。しかも帰るべき田園も失われている。当然、犯罪は増える。資本主義とは、ヒトが本来もつべき肉体の失われたバーチャルな数字の上に成り立っているのである。

ところで私が西洋文明の繁栄を片端だといったのは、そも肉体を否定した生命の繁栄とは、癌細胞のそれでしかない。彼らは確かにその自己偽善能力によって強いし、侵略力もある。しかし癌細胞とはそれらの力をもつが故に、最終的に自らの生存する個体を破壊し、死滅する細胞だということである。それは西洋文明も同様に、いずれそのバーチャルな自己偽善による侵略力によって、自らの文明を自壊させることになるだろう。

彼らはついにその破壊力において、核兵器という最終兵器を手に入れた。そしてそれに脅え「核兵器のない世界」などと言い出した。彼らの愚かさは、私に言わせれば癌細胞が「癌のない世界」と言っているとしか思えない。それは核兵器に限らず――たとえば地球温暖化等――彼らが自らの文明が間違っていることを悟らぬ限り、滅びゆく運命にあるということである。そしてそれを悟ることは、彼らの歴史的古層からいっても有り得ない。

西洋人の誤りは、彼らには進化の概念がないから、思想とは肉体による無言の変異であって、言語による虚構のものではないことが分からない。つまり「肉体のもつ大いなる理性」によるものだということが。

彼らは、思想とは言語によるものだと信じているから、核兵器、ナチズム、共産主義等の愚かな思想を生み出すことになったのである。それが癌化した西洋文明の結末である。

しかしニーチェも言っているように、そういう思想を理解する者は、せいぜい五〇年に一人くらいだろう。私もそうした「肉体の無」で思想することの苦痛と虚しさとにようやく気づいて、この世界と縁を切ることにした。

著者プロフィール
堀江 秀治（ほりえ しゅうじ）
昭和21年生まれ。東京都出身、在住。
慶應義塾大学を卒業、その後家業を継ぐ。
特筆に値する著書なし。

日本民主国家という廃墟

2021年12月15日　初版第１刷発行

著　者　堀江 秀治
発行者　瓜谷 綱延
発行所　株式会社文芸社
〒160-0022　東京都新宿区新宿1－10－1
電話　03-5369-3060（代表）
03-5369-2299（販売）

印刷所　株式会社フクイン

ISBN978-4-286-23273-7